劉福春・李怡 主編

民國文學珍稀文獻集成

第二輯

新詩舊集影印叢編　第60冊

【朱湘卷】

夏天

上海：商務印書館 1925 年 1 月初版，1927 年 6 月再版

朱湘　著

永言集

上海：上海時代圖書公司 1936 年 4 月初版

朱湘 著

花木蘭文化事業有限公司

國家圖書館出版品預行編目資料

夏天／永言集 朱湘 著 — 初版 — 新北市：花木蘭文化事業有限公司，
2017〔民106〕
70面／108面；19×26公分
（民國文學珍稀文獻集成・第二輯・新詩舊集影印叢編 第60冊）
ISBN 978-986-485-151-5（套書精裝）
831.8 106013764

ISBN-978-986-485-151-5
9789864851515

民國文學珍稀文獻集成・第二輯・新詩舊集影印叢編（51-85冊）
第60冊

夏天
永言集

著　者 朱　湘
主　編 劉福春、李怡
企　劃 首都師範大學中國詩歌研究中心
北京師範大學民國歷史文化與文學研究中心
（臺灣）政治大學民國歷史文化與文學研究中心
總編輯 杜潔祥
副總編輯 楊嘉樂
編　輯 許郁翎、王筑 美術編輯 陳逸婷
出　版 花木蘭文化事業有限公司
社　長 高小娟
聯絡地址 235 新北市中和區中安街七二號十三樓
電話：02-2923-1455／傳眞：02-2923-1452
網　址 http://www.huamulan.tw 信箱 hml 810518@gmail.com
印　刷 普羅文化出版廣告事業
初　版 2017年9月
定　價 第二輯51-85冊（精裝）新台幣88,000元

夏天

朱湘 著

朱湘（1904～1933），生於湖南沅陵。

商務印書館（上海）一九二五年一月初版，
一九二七年六月再版。原書四十八開。

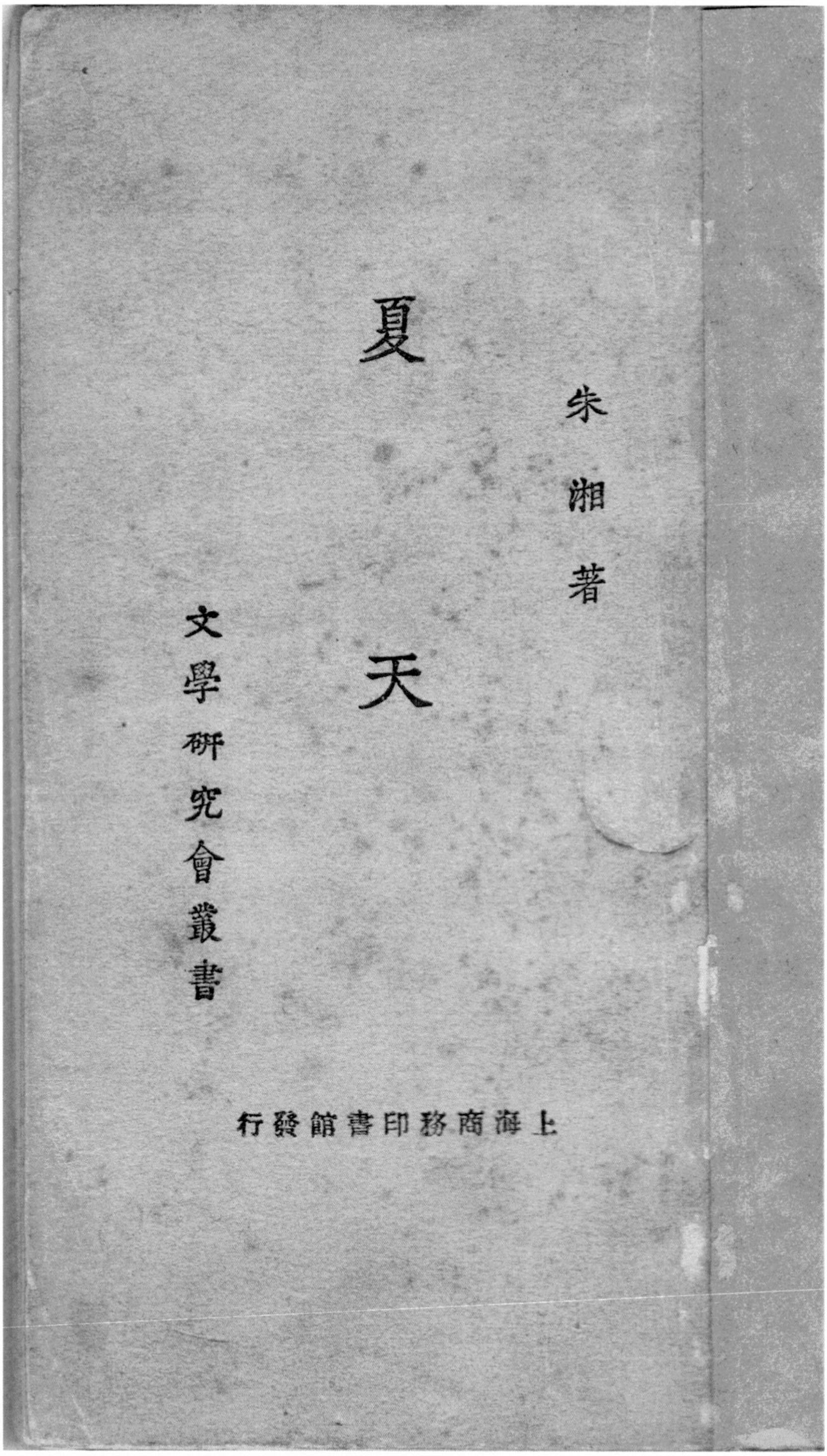
朱湘著

夏天

文學研究會叢書

上海商務印書館發行

夏天

朱湘著

文學研究會叢書
1925

自序

朱湘優游的生活既終，奮鬬的生活開始，乃檢兩年半來所作詩，選之存可半數，得二十六首，印一小册子，命名「夏天」，取青春期已過，入了成人期的意思。我的詩，你們去罷！站得住自然的風雨，你們就生存；站不住，死了也罷。

民國十三年九月十六日

「春」中有幾處是照聞君一多的指示改正的，附謝。

目錄

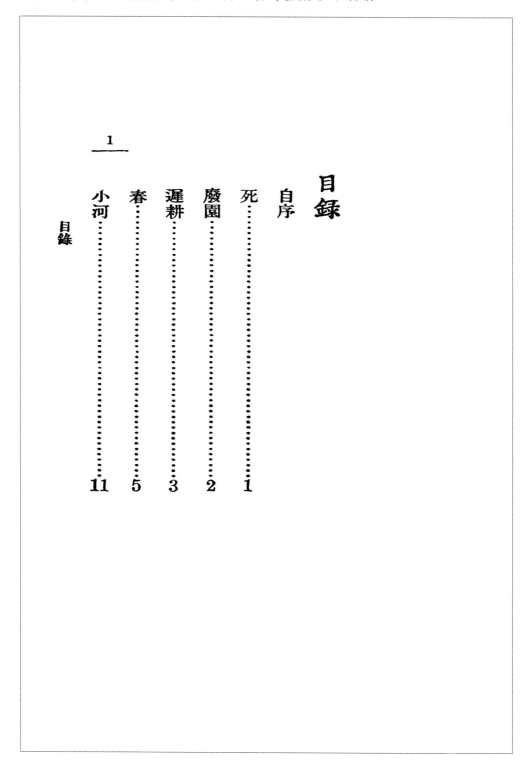

2

夏　天

目錄

4

夏天

死

隱約高堂，
慘淡靈床；
燈光一暗一亮，
想着輝煌的已往。
油沒了，
燈一閃，熄了。
蜿蜒一線白烟
從黑暗中騰上。

夏　天

2　廢園

有風時白楊蕭蕭着，
無風時白楊蕭蕭着；
蕭蕭外更不聽到什麽：

野花悄悄的發了，
野花悄悄的謝了；
悄悄外園裏更沒什麽。

遲耕

蓑衣斗篷放在田坎上，
——柳花飛了！
，「牛乖丶丶的讓我安上犂，
你好喫肥丶丶的稻稭。」

她埋在屋後罷：
她的陰魂也安穩些；
宝丶丶們怎么？……

4

夏天

「牛，用力拖呵。」
頸子後面冰冷的，
——並不是汗？——
田那頭走近好大一團烏云。
披起蓑衣，戴上斗蓬罷。

「牛呵，快犂！
那不是秧鸡的声音？」

春

畫師的
一夜裏春神輕拂雨絲的毛筆，
將大地染成了一片綠絹，
絹上畫了一幅彩畫；
海，伊的筆洗，也被伊攪起綠波了。

農人的
秧田邊一陣田雞叫：
小二倒騎着水牛

6

夏天

高唱着秧歌的回來了。
　樂師的
蜜蜂嗎嗎將心事愬了，
久吻着含笑無言的桃花；
春風偸過茅籬
窸窣的，蜜蜂嗡的驚起了。
　戀人的
你的眼珠是我的碧海，
你的雙靨是我的薔薇，

你的笑聲是我的鳥鳴。
我的薔薇呵，
生在我的心地上：
我的心地上是不老的青春！
　棄婦的
春來了，
——但他却沒來；
微雨陰陰，
這正是他踏落花西去之候。

8

夏　天

小河，你活活的說些什麽？
你是從他那裏來的？
　囚犯的
綠艸沒來這裏，怕傷他的心。
屋裏漆黑：他的日頭已經落了。
　老人的
好暖的陽光！
他慢騰騰的挪出了個小杌子。
縐臉上添些笑紋，

他看着河裏兩個泥水滿臉的孩子：
他的春天回來了。

孤女的
林蕙的新衣眞綠的可愛呵！
我也去掐片綠艸罷。

詩人的
素娥深居于水晶宮內；
濃柳陰關不住夜鶯讚頌的歌聲，
紫地丁梨樹俯首默禱的影子落在黃色新茵

上，長的短的。

10

看哪！那耀眼的不是月淚？
明日裏這些淚珠，一粒裏將長出一朶鮮花，枝呵，
莖呵，你們眞有福分！
就是柳陰下朦朧小艸，他們也看見一團團銀
波相招，要引他們到彼岸，在那裏白霧的垂帷
後安息。

小河

白雲是我的家鄉，
松蓋是我的房簷。
父母在地下，我與兄姊
並流入遼遠的平原。

我流過寬白的沙灘，
過竹橋有肩鋤的農人；
我流過俯巖的面下，

12

夏天

他聽我彈幽澗的石琴。

有時我流的狠慢，
那時我明鏡不殊，
輕舟是桃色的游雲，
舟子是披蓑的小魚；

有時我流的狠快，
那時我高興的低歌，

人聽到我走珠的吟聲，
人看見我起伏的胸波。

烈日下我不怕燥熱：
我頭上是柳陰的青帷；
曠野裏我不愁寂寞：
我耳邊是黃鶯的歌吹。

我掀開霧織的白被，

14

夏　天

我披起紅穀的衣裳，
有時過一息輕風，
紗衣玳簾般閃光。

我有時夢裏上天，
伴著月姊的寂寥；
伊有水晶般素心
吸我騰沸的愛潮。

艸妹低下頭微語：
「風姊送珠衣來了。」
兩岸上林語花吟，
讚我衣服的美好。

爲什麼葦姊矮了？
伊低身告愬我春歸。
有什麼我可以報答？
贈伊件嫩綠的新衣。

16

夏天

長柳絲輕扇荷風，
綠紗下我臥看雲天：
藍澄澄海裏無波，
徐飄過突兀的冰山。

西風裏燕哥忽別，
來生約止不住柳姊的凋喪。
剩疏疏幾根灰髮，

——雲鬢？我替伊送去了南方。

我流過四季，累了，
我的好友們又都已凋殘，
慈愛的地母憐我，
伊懷裏我擁白絮安眠。

黑夜納涼

可惜我不是少女，
辜負了輕風花香織成的面紗。

小河

海是我的母親，
我向伊的懷裏流去。
一日，
伊將抱着我倦了的身子，
搖着，
哼着催睡的歌兒；
我的靈魂將化爲輕雲，
飄飄的騰入空際，

夏　天

——而又變形的落到地上，
被伊的愛力吸落到地上了。
陰陰春雨中
遠處的泉聲活活了。

憶西戍

赤的夕陽映秋梧之尖，
梧下城陰隱着淒零的小屋，
爭枝的鴉啼倦的低下去了，
窗裏織機單調而困倦的響着。

22

夏 天

寧靜的夏晚

黑樹影靜立在灰色晚天的前面，
啞啞爭枝的烏啼已經倦的低下去了。
炊烟鑪香似的筆直升入空際，
遠田邊農夫的黑影扛着鋤頭回來了。

這時候詩人虔誠的走到郊外，
來接受靜默賜給他的詩思；
伊們是些跳動的珠形小白環，

他慢慢的將伊們繡在晚天的黑色薄紗上了。

24

等了許久的春天

我彷彿坐在一隻船上，
搖過了灰白單調的荒岸，
現在淌入一片鳥語花香的境地；
我的船彷彿並未前進，
只看見兩行綠柳伸過來，
一霎時將我抱進了伊的懷裏。

北地早春雨霽

太陽只是灰雲上一個白盤罷了，
他的光明却浸透了清朗的空中，
反映在地上雨水凹的上面。
黑幹赭條的柳樹安閑的立着，
彷彿等候着什麼是的。
遠近四處聽到無數爭喧的鳥聲，
河水也活活起來了。

26

寄一多基相

夏　天

我是一個僨殆的游人，
蹣跚於曠漠之原中，
我形影孤單，掙扎前進，
伴我的有秋暮的悲風。

你們的心是一間茅屋，
小窗中射出友誼的紅光；
我的靈魂呵，火邊歇下罷，

這正是你長眠的地方。

寄一多基相

28

回憶

夏天

紙窗下恬靜的油燈，
室腰明，頂作圓形；
燈罩邊仰首青年
神游於圓影的中心。

餑餑的要呼遠聞；
上房中假哭着阿餛；
晚飯菜廚下炒着，

好一片有望的聲音。
——那時間無慮無憂，
如今呵變了逃囚。
但仍亮你的油燈，
你的圓仍可神游。

30

寄思潛

夏天

去冬因叔輔的紹介而與高君思潛結神交。君字伯陶，安徽和縣人。君家世以文名，縣志卽君祖所修。君滿歲而能屢隨家人之問指高、下兩字而不訛；十二而詩文甲一縣。十四就館蕪湖，以贍家用。旋爲境遇所迫棄文業醫，而醫術亦精。今年二十六，遺叔輔書云，他的叔祖及諸伯叔皆工文而早夭，他自料也不久於人間了；並且他自己已發現肺癆之首期證候，益覺灰心。我們並沒見過面，但聞叔輔說，君才氣煥發，而言訥訥若不能出諸口，不覺聯想到我國古代的文人；並且君之失志亦與前人相印合：慨然久之。君新舊詩雖不多見，然天賦之資自有逆遇所不可掩者。且君未嘗習於學校，而思想每得風氣之先，尤爲難能。君致叔輔書，備極蕭瑟，故作此慰之，並以相勉。君之鄉人以君家文人早達而又早卒，恰如月之易圓易缺，乃相傳君家塋地爲「月亮地」；故詩中云云。

31

寄思滑

你天上月鈎中生長大的神童，

32

夏天

你逐漸走近輝煌的望日之詩翁，
因爲銅臭的蟾蜍想將你吞下，
以致忘記了你乃穩擎於慈母之掌中。

母親慈烏般用暖翼將你覆起，
使冰血的雪不至落入你赤子的心裏；
你只要聽聽，我這三歲失母的雁雛之哀鳴，
你就更當覺得你有母親的歡喜。

不過：我年幼時曾居於畫圖的中間，
那時總不相信大家對於江南的讚言，
如今居北，才感到那些語言的滋味：
母親的有無也與這審美的道理一般；
並且：咽喉被病魔掐住的詩人，
內困於痛苦，不暇賞鑒窗外的白雲：
同樣，怫鬱的環境將你的樂趣奪去，
而你在母親的慈愛中只暇感覺到苦辛。

34

夏天

你英雄般肩擔家務於十四的年華，
有如少年時代的秦武將寶鼎高擎；
可憐你將家人國人救活的華陀
竟救不了自己因醫人而得的刑罰！

爲什麼日月爲兩目的天公這樣昏矇？
爲什麼有望的志士終潦倒於困窮；
光陰耗於謀生上，壯志黑鐵般生銹，

面傀儡般的庸人反居於富麗的深宮？
雖說是天降窮乏以鍊將肩大任的英豪，
爲什麼遠謫的賈傅終未伸他的懷抱？
爲什麼身負百創足經萬里的李廣
只博得匈奴人贈他的將軍之名號？

要說是他有意的造出這顚倒的人生，
鴉雀高翔而鳳皇卑伏，那他便是不仁！

36

夏天

要說是他無意的造出這翻覆的世界，
黃鐘見棄而瓦釜上列，那他便是不明！

雖然如此，他到底只許貧士入他的樓閣，
想像便是他頒賜的啓他瑤宮的管鑰；
他們遺下些詩文，有如玄奘的西行紀程，
指引虔誠的善士入極樂的佛國。

思潛，古代弱水西曾有一個詩人，

濟慈，也是一個看出自己痨病的醫生！
他將一片赤心研成爐香的細末，
燃之於神像前的鑪中以供九位的美神。

濟慈詩中所歌詠的誠然都罩上了苦辛，
但月亮映日光般快樂須映悲哀而始明，
未受悲哀洗禮的快樂有如餳食之悅口而易厭，
遠不如受過悲哀洗禮的快樂之彷彿苦茗的回馨。

38

夏　天

濟慈的詩不死，身子蚤死了有何輕重？
百年來知道烟滅了多少富壽的凡庸！
雖說高壽的才子也有七月識知無的樂天，
但香山所以不朽，不是因壽高而是因詩工。

思潛，你是一條困於淺沼的雛龍，
一顆驪珠閃耀於頭角峥嶸的額中，
將來有一天雷雨諠呼着下來迎你，
你將奮身跨上紫電的長橋而騰空。

籠鳥歌

我久廢的羽翼復感到晨颸，
五采的朝雲在我身邊後馳；
萬里長空都是供我飛的，
崇高的情緒泛溢了我的心池。

40

夏天

南歸

答贈恩沱——三友

我是一隻孤獨的雁雛，
朔方冰雪中我凍的垂死；
忽然一晨亮起友情的春陽，
將我已冷的赤心又復暖起，

我的雙翼回溫而有力，
仿彿雪中人入了炭盆的室中；

已斃的印象復活於眼前，
有如走馬燈上的人物憧憧。

我還不乘此奮飛而南，
飛回我夢中不敢思念的家鄉？
雖說早春還有吼空的刀風，
那痛快之死不比這鬱結之生遠強？

許久朋友們一片好意，

夏　天

他們勸我復進玉琢的籠門，
他們說帶我去見濟慈的鶯兒，
以糾正我尚未成調的歌聲；

殊不知我只是東方一隻小鳥，
我只想見荷花陰裏的鴛鴦，
我只想聞泰嶽松間的白鶴，
我只想聽九華山上的鳳皇。

北地的玄冰吸盡我的熱力
我更無力量去大氣裏遨遊；
在江南我雖或仍無奮飛的羽毛，
江南本身就是一片如夢的溫柔。

江南的山鮮豔如出浴的美人，
這裏的永遠披着灰土的舊衣；
江南的水彷彿高笑的羣兒，
這裏的只是一個羸童寂寞的獨嬉。

44

夏天

江南夏日有樓陰下莫愁湖荷，
一足的白鷺立於柳岸的平沙，
蟬聲度過湖水，聲音柔了：
歸去罷！江南正是我的故家。

江南秋天有遮簷的桂樹，
爭蜜的蜂聲仍噪於黃花之叢間；
江南冬季有浮於溪面的梅馨：

歸去罷！江南正是我的故園。
和暖的春陽在江南留戀，
有如含情之倩女蓮步舒徐；
伊在這裏迫於狂徒般悤悤歸去，
隨了伊歸去罷！江南正是我的故居
歲月流的眞快，轉瞬又到炎夏，
歸去同游罷！藝術的燕燕，

46

夏天

歸去同游罷！雛鷹與慈烏：
這地方不可久戀……

春鳥

啼春之鳥，
我不知你是何名；
陰低雲內
你啼聲遠近俱聞。

我想起家鄉，
微雨中地地栽秧，
你啼天上，

48

夏天

秧歌音跟你悠揚。

早晨

早晨：
黃金路上的丈長人影。

夏天

雪

50

一

異於雨的淒急，
雪蓬勃而閑散的飄下。

二

萬朵的繡球
懸在高松之上。

三

一抹白雲：

是天際的雪山。

52

夏天

我的心

我的心是一隻酒杯，
快樂之美酒稀見於杯中；
那麼斟罷悲哀的苦茗，
有你時終勝於虛空！

快樂

晚空的雲
自金黃轉到深紫；
似欲再轉，
不提防黑暗吞起。

54

夏天

鳥辭林

鳥辭林，
虛悄的林；
樂離心，
寂寥呵我的心。

覆舟人

像飄上了岸的覆舟人，
脚下的平坡
猶疑作動盪之波：
不安呵，乍得新件的靈魂。

56

霽雪春陽頌

夏　天

甲子開歲二日，得雪，雪晴賦此

雪的尸布將過去掩藏，
現在天東升上了朝陽，
看！哪黃金染遍了千家白屋頂上；
瑤林裏百鳥懽唱，
聽！哪萬里內迎神的鞭爆齊揚！

爆竹

見子惠同題作

跳上高雲，
驚人的一鳴；
落下尸骨，
羽化了靈魂。

58

鵞

夏天　十三年八月

右軍寫經將你換了來，
是愛你只喫艸蔬；
是愛你身披絹素，
頭脚上還點抹着紅硃；
他更愛你靈活而遒勁之頸，
與他的筆無殊。

Chinese Literary Association Series
"Summer" and Other Poems
By S. Chü
The Commercial Press, Limited

中華民國十四年一月初版
中華民國十六年六月再版

（文學研究會叢書）夏天（一冊）
（每冊定價大洋貳角）
（外埠酌加運費匯費）

著者 朱湘

發行者 商務印書館

印刷所 上海北河南路北首寶山路 商務印書館

總發行所 上海棋盤街中市 商務印書館

分售處 北京天津保定奉天吉林龍江濟南太原開封西安南京杭州蘭谿安慶蕪湖南昌漢口長沙常德衡州成都重慶瀘縣福州廣州潮州香港梧州雲南貴陽張家口新嘉坡 商務印書館分館

二三六二何

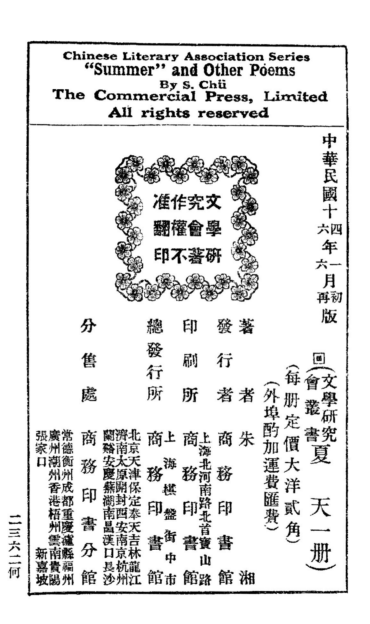

文學研究會叢書

春之循環	瞿世英	三角
意門湖	唐性天	二角五分
隔膜	葉紹鈞	五角
小說彙刊	葉紹鈞	四角
工人綏惠略夫	魯迅	六角
雪朝		五角
阿那托爾	郭紹虞	四角
一個青年的夢	魯迅	七角
愛羅先珂童話集	魯迅	七角
小人物的懺悔	耿式之	五角
史特林堡戲劇集	張毓桂	五角

新俄國遊記	瞿秋白	三角五分
將來之花園	徐玉諾	四角
一葉	王統照	六角
長子	鄧演存	三角
飛鳥集	鄭振鐸	三角
獄中記	汪馥泉等	六角五分
慳吝人	高真常	五角五分
繁星	冰心女士	三角
超人	冰心女士	四角五分
西洋小說發達史	謝六逸	五角
青鳥	一冊	六角五分

永言集

朱湘 著

時代圖書公司（上海）一九三六年四月初版。原書三十二開。

永言集

朱湘著

上海

時代圖書公司發行

序

洵美兄來電話，說是朱湘的第四詩集永言集可以由他出版：這個允許，凡是喜愛新詩的人，連我自己在內，都應該向他感謝。他還要我寫一篇序，這可難住我了；因爲我所最不擅長的就是寫序，只好老老實實把編輯這本詩集的經過寫出來，姑且當作序文。

這本永言集的題名是亡友朱湘自己定的。這時他的草莽集剛剛出版，他便把一九二六年到一九二七年的詩輯集起來。我拿牠來與石門集比勘，凡已收入石門集的，便都删去，結果發現從尼語到歷史這十九首詩都是石門集中所不曾收進去的。

開端的兩首：尋和民意是從草莽集的原稿裏取出來的；這兩首是他編草莽集時所删掉的詩。他所以要删掉這兩首詩，大約是爲了詩中譏諷世俗之故吧？他活在世間的時候，磨難也受夠了，使得性情直爽的他也處處顧忌起來；其實這種普遍的不指主名的駡

— 1 —

世之作卽使不刪掉恐怕也沒有什麼要緊吧?

殘詩和十四行詩是羅念生先生供給的也許他寫這首殘詩的時候，就有了自殺的念頭。

斷句以下四篇是他散佚的稿子，前三首是用練習簿寫的草書，後一首是用信紙寫的。關外來的風是我定的題目，這一首詩好像不曾做完，也許他想寫義勇軍，是一首長篇敍事詩的開端吧。國魂也是民族主義的詩。作者生前曾寫信告訴我，要寫一首文天祥，結果是寫下這兩首詩的片斷。他在美國時，眼見種種不平等的待遇。他的民族思想便是這樣養成的。

圞兜兒和白寫得較後，是他在死前不久寫的。不曾編入石門集，大約是爲了前者是諷世之作，後者不願意讓人家知道。

最後兩首都是敍事詩。團頭女壻是與王嬌同類的。王嬌取材於王嬌鸞百年長恨，團頭女壻則取材於金玉奴棒打薄情郎。八百羅漢則與收魂同類。惜均只有一個開端；因爲牠們是遺著，所以也收在集子裏。

照上面所說的看來，這本集子雖是出版於石門集之後，牠的創作年代實在石門集之前，因此這本永言集在出版的時日上說是第四詩集，（第一詩集夏天在一九二五年出版，第二詩集草莽集在一九二七年出版，第三詩集石門集在一九三四年出版）在創作的年代上說却是第三詩集。我國人却喜歡這本集子，勝過石門集，因爲這集子仍保持着草莽集的作風，大都是些輕倩婉妙的作品，說理的詩和西洋詩氣息濃厚的詩都極少。

團頭女壻還有一部分續稿存在吳汝處，另外還有三首詩存在望舒處，我因爲付印期迫，一時找不到他們，就只好這樣匆匆的編訂起來。

夏天刊落的詩是小說月報十七卷一號的秋夜和十七卷六號的訣別，一時也不及收在這本集子裏了。

趙景深

一九三六年二月

目次

呼
慰元度
星文
兒歌
乞丐
問
我的詩
美之宮
回甘
小聚
西風
歷史

尋

你可以尋徧天堂，
從日生的時候尋到日死；
還燃起白燭夜中去尋覓——
你決不會尋到一種東西，
假君子！

你可以遊徧陰曹，
看火油的鍋裏千人慘死；
這些鬼魂，無論多麼叛逆，

他們總遠强似一種東西，
假君子！

（詩與散文第三期）

— 2 —

民意

與空氣一般，無從捉摸，
亦不知抵抗，
遠望去是一片青，落落
展開在天上……

狎弄牠的要隄防暴風
來號令一切，
憑牠得到的權勢興隆，
隨了牠毀滅。

（詩與散文第三期）

殘詩

湖中間忽然騰起黑浪，
一個個張口向我滾來；
勁風捲着水絲的薄霧，
吹得我的眼無法睁開。
　我獨撑着這小舟，
　岸不知在天那頭；
只有些雲疾馳而過呀，
敎我向誰去申訴悲哀？
我不能作水下面的魚，

任是浪多大依舊游行；
我不能作水上面的雁，
任是水多長牠不留停。
我的舟儘着打圈，
看看要沉下波瀾。
只是這樣沉下去了呀，
不像子胥也不像屈平。
吞，讓湖水吞起我的船，
從此不須再喫苦擔憂！
（缺）…………
…………
雖然綠水同紫泥，

是我僅有的殮衣，
這樣滅亡了也算好呀，
省得家人爲我把淚流。
十五，五，卅一。
（人間世第三十二期）

— 6 —

尼語

神龕前的蠟燭牠尙成雙，
爲甚我坐蒲團偏要孤涼？
度去西天雖可長生不老，
年華六十今人已是嫌長。

世間如若眞是煩惱無邊，
凡夫正該讓他早去西天。
爲甚觀音頻灑楊枝甘露，
致災難的衆生却病延年？

天帝戀那王母鬢髮如霜，
別牛郎的織女淚灑衣裳。
仙界的情根尙不能斷絕，
地上偏留如許寡鳳孤凰。

不作布袋和尙以食爲天，
不作臥佛只知日夜貪眠。
我要塡起銀河和合牛女，
把嫦娥挽出嫁一個神仙！
八，十二。

（詩歌月報）

— 8 —

戍卒

遼闊綠艸被西風一夜吹黃，
戈壁平沙連天鋪滿濃霜，
冷氣悄無聲將雲逐過穹蒼——
　我披起冬裳，
不覺想到家鄉。

家鄉現在是畦中漫着禾香，
閃動的鐮刀似蠶食過青桑，
朱紅的柿子纍纍葉底深藏，

雞雛在穀場
噪着爭拾餘糧。
燈檠光似豆照着她坐機旁，
一絲絲的黑影在牆上奔忙。
秋蟲畏冷倚牆根切切悽傷，
兒子臥空牀，
夢中時喚耶孃。
一聲啼雁拖曳過塞冷關荒，
牠攜伴南去追尋生命陽光，
在白似綿的蘆蕩偃臥常年——

獨留我迴徨，
在這蕭索邊疆。

八，十四。

（人間世第十五期）

秋風

淚垂我並不是悲的西風，
　但悲節近嚴冬。
樹葉在枝頭驚變了顏色，
　郊原泣着秋蟲，
悽愴不由人的襲入心胸。
人壽到了中年有似交秋，
　雖然金滿田疇。
燦爛的枝柯像貴人衣錦，

—12—

牠們都不停留
都隨變幻的斜陽落山陬。
八，十五。

（詩歌月報）

墓園

就是蕭蕭的白楊
也無聲：
安眠罷，你沈默的
墓中人。

九，二。

（未發表）

— 14 —

今宵

今宵是桂的中秋：
明月光照在清流。
原野間鳥聲止奏，
剩寒蛩嗚咽抒愁。

媚陽春一去不還，
色與香從此闌珊——
再不要登高望遠，
萬里中只見秋山！

不如趁皓月當頭，
與嫦娥竟夕淹留。
遣蓬蓬作盃子飲酒
送歸鴻飛過山陬。

九、二〇。

（詩歌月報）

燕子

天空裏銷了花的濃香，
大氣中冷了黃金太陽：
鳥歌已經休歇，
只聽秋蛩鳴咽；
不見蜜蜂蝴蝶，
只有紛紛落葉——
到了如今我還不南翔，
翔去暖的南方。

我們分別了，閨中女郎；
你不要瞧着巢空畫粱，
添起心頭惆悵：
只要途中無恙，
春日還能相傍——
你看雄飛天上，
他在呼喚我疾速南翔，
翔去暖的南方。
明年我再來伴你凄涼，
談說海南的異樣風光：
橘在枝頭垂滿，

好像紅燈萬盞；
雀尾徐徐舒展；
金錢豹臥長坂－
如今我却要辭你南翔，
翔去暖的南方。

九，三〇。

（人間世第四期）

呼

誰能壓得住火山不爆?
就是巖石也無法隄防,
　牠取道
　去尋太陽。
當不住勁風,
也不能叫松;
要北風怒號,
才會有松濤
　澎湃過

—20—

黑雲與紫電的長空，

十，二十一。

（人間世第十一期）

慰元度

貧苦的文人兩手空空，
剩一點柔情揣在當胸。
命運那强徒忒是不公，
這點愛情於他並無用，
都被刼林中。

朋友，那地方能息遊踪？
我與你高歌阮藉途窮。
在夕陽道上同蹈斜紅，

讓西風捲起心頭悲痛，
亂灑進蒼穹！

十一，卅。

（人間世第四期）

星文

我拏筆把星光濃蘸，
在夜之紙上寫下詩章；
紙的四周愈加黑暗，
詩的文采也分外輝煌。

十六，一，十八。

（人間世第十五期）

—24 —

兒歌

我拿蘆葦作鎗，
你騎白鬚的小羊，
且來分個高下，
在紅葉鋪的草場。

（時事新報）

乞丐

尺深的白雪棉絮一般，
他在龕桌下更覺森寒。
破廟無人任風吹雨打，
佛像的眼梢淚漬斑斕。
不獨人間有貧賤富貴，
神道的時運也分順背。
遮寒的稻草加厚一層，
身邊却少了一個親人。

三十年患難幫我馱過
黃泉路上倒讓你孤行。
　來生爲畜都莫歎命壞，
只要不投胎重作乞丐。

有人在門外踏過中途，
肩扛着半爿雪白肥猪。
他想起燉肉濃香四散，
透紅的皮與蜜棗無殊。
　遠處依稀的放着鞭爆，
誰不在迎接新年來到？

（詩歌月報）

問

爲何鳥兒脛細，
終日能立在枝頭，
還把千情萬意，
囀出她一寸歌喉？

（人間世第十三期）

我的詩

只須有女郎
用牠手指溫柔
輕撫我詩章
與創疣——
此外我更無所求；

只須有女郎
爲牠一笑含羞，
笑聲似笛腔

與鳥譁——
此外我更無所求；
只須有女郎
爲牠熱了雙眸，
珠淚灑篇旁
與卷頭——！
此外我更無所求。

（人間世第十五期）

美之宮

我要修築一座美的皇宮，
不到力竭精疲不肯停工。
華表有如雙掌向天高舉，
宮牆塗着萬方貢的硃紅。
四方與中駢成五橋，
臣民如水浩蕩來朝。
猛虎蝮蛇橫行宇內，
要憑天子遣將揮刀。
一線天光照我三峽而西，

陰森的林木內夜夜猿啼。
我將古柏斲下諸葛祠堂，
只有參天之木能爲棟梁。
大理山中藏着石如璞玉，
瘴雨蠻烟終古罕聞人去。
我度繩橋下瞰濤浪奔騰，
曉得江流已經澌淨璘珉。

（人間世第二十八期）

—32—

回甘

甜美的韶光已逝東流、
剩一絲餘味裊裊心頭；
　在深夜夢殘時候，
用回甘的惆悵慰我清愁。

（人間世第三十一期）

小聚

描花的宮絹滲下燈光：
柔軟燈光，
掩映紗窗，
我們圍在紅炭盆旁，
看爐香
游絲般的徐徐裊上
，架須是梅朵嬌黃。
賓客無人不誇獎厨娘：

妖豔廚娘、
糕餅當行；
噢呀，牠像櫻口微張，
息芬芳，
那柔軟又脣兒一樣，
人怎不爭着先嘗？

（人間世第三十一期）

西風

蘆花開滿洲渚，
西風下十里白波；
空中燕雀飛舞，
與秋葉一般的多。

（人間世第三十一期）

歷史

你定規住在另一輪星上；
牠轉旋得真快，不比地球，
牠看太陽在天空上滑走，
好像看流星在劃着弧光。
冬天的人，等候風不再狂，
在樹的骨頭上不再絞肉，
那時的一種心情，你沒有
身歷過，想不到牠的苦況。

（人間世第三十二期）

斷句

有許多話要藏在心底，
專等一個人……，
等她一世都沒有蹤跡，
甯可不作聲。

（未發表）

小詩三首

一

睡，寶寶，睡！
你爸爸牧笛低吹。
你媽媽在搖那夢的樹，
一朵夢的花落在你的鋪。
睡，寶寶，睡！

二

送舊年迎接新年，
天光亮鞭爆聲喧。
上年事業要下年繼承，

上年過錯時下年自新。
明年再過新年，
更新更好的年。

三

我的心牠在高原，
牠不在這裏。
我的心牠在高原，
追麋鹿遊戲。
追趕着那野鹿，
還同那山麋。
我的心牠在高原，
任我去那裏。

（未發表）

關外來的風

從前有花香，鳥兒唱，
在樹的濃陰中！
如今只聽見風在狂，
那關外來的風！

黃花崗上，
葬有鬼雄；
黃種兒孫，
浩氣漫空！

你快把刀磨尖，磨亮，
鍊肉成鐵，鍊骨成鋼！

漢族人哪！大家靜聽：
像軍歌在悲壯揚聲，
像戰馬在郊外長鳴，
喇叭遠方號——

那是義士，約好月上，
南北東西，來自四方，
鎗在肩頭，血在胸膛，
起義作暗號！

（未發表）

— 42 —

國魂

中國人哪，大家靜聽，
像大海在澎湃發聲，
像高山在爆裂震崩。
喇叭遠方號！

那是强鄰犯我邊疆，
奪我財寶，奸我女郎，
我們還有血在胸膛，
決不可遁逃！

快把國旗打開.
青天不要雲霾。
　白日當頭，
　赤血狂流，
創造嶄新世界。

前進！那是國魂在叫，
她與祖宗在天俯眺。
男女兒孫，快去抵禦强暴！

（未發表）

十四行

何必要別人了解，你自家，
　那個陪伴着你，無晝無夜
　不走開的人，對于你一切
都還不明白，何况其他
一班人？不如學老蚌，你拏
　肉身藏在貝殼裏，用精液
　來培養珠子，等到同午月，
午日當面時，再數說根芽。
是牠們誠然無知，那能

了解你，不過牠們總不作
卑陋的推測，那種凡夫
愚蠢無知潦草于他自身，
還要自誇明達己善人惡——
你向這種人求知？，唉，糊塗！

（人間世第十三期）

—46—

人性

擺脫鐐銬，
不從僵死的古，入時的新——
抓住人性。
看哪，
那蓋滿塵垢的墳墓，
藏着往日的歡笑，啼聲——
墓前的茅屋
居住着農夫農婦
在老藍衣下有天性流行。

誰能自赤豆辨毒的莓實?
度海洋不迷方向?
那無足爲奇:
前人食毒莓喪命,
泛海無有音信。
從那時起眞理便永久昭彰——
這兩重的人性
不知釀出了多少紛歧!

人是一顆螢火;
有時要暗中摸索,

不能永遠光明——
但望牠照得見天；
同時也映着地，
在牠這短促的途程！

十六年十一月五日

神道

世間只相信有獸有神，
不相信有人。
因之獸行惡蒙了假面，
人也要裝神。

夏夜

惺忪的月亮微睨着夜神，
林木悄然而臥不動分紋。
遠田內有羣蛙高聲笑樂，
葉底的螢光一瞥目傳情。

十九年五月十五日

圞兜兒

這一篇起居注記的多詳盡！
牠與皇帝的也相似，也懸殊：
好處說的不多，只看見壞處；
鈔襲的是，這篇也並不全眞。

無產與資產，從家鄉到祕魯；
爲了體統，憑着好熱鬧，妬情：
這一篇起居注，
編纂時烏合了這許多翰林！

除了李煜，很少皇帝會披心；
可是多麼重要，他們的顰顧。
詩已經自迷了，我倒不斤斤
這一篇起居注。

（青年界四卷二號）

白

白的衣衫，白的圓臂膀，
　你們多麼可愛！
我要打開窗子去摟抱，
又怕寒冷相災。

白的剪秋羅，白的玫瑰，
　你們多麼清潔！
取一枝我想伸出手來，
可惜沾了煤屑。

因爲陪伴我的只有寒冷，
那柔和的溫暖更教我狂；
坑陷在沒有出息的溷惡，
我更歆羨着那潔淨，芬芳。

但是，撥動起寒灰最苦惱；
那已死的情緒，讓牠安息！
我也是一個人，需要安甯，
甚於熱烈，而痛苦的希冀。

白色的雙手——
像笛聲響起了，船舶他去，
車也不回頭。

（青年界四卷一號）

團頭女婿（未完稿）

糞氣摻了蠶豆花的煖香，
吹進莫稽住的單間草房。
雞在鄰莊剛才報過正午，
喚他放下書來作飯充腸。
四條腿的板櫈，有如畜生，
在他起身時候一陣吟呻，
埋怨主人從淸早到中午，
坐得牠的脊梁酸痛難禁。
靠着土牆根是一架泥爐，

菜鍋，飯罐，牆上掛着油壺；
樓色的偷油婆走來走去，
沒料到壺中油一滴俱無。
冷菜在鍋裏是早晨留下，
中飯，晚飯吃的。他不能怕
菜冷，省錢正經。飯却要燒……
不多時，便聽到柴火爆炸。
東莊之上，狗又喧噪起來，
他想，這是縣中派下衙差，
來接錢老大知縣的文友，
去衙門裏同賞牡丹盛開。
窗檻上面，拐杖敲了幾聲，

接着遲子，遲子聽個不停……

「這是三舅來了呀！」他趕緊

跑到門口來迎接這尊親。

拄着拐杖，還在那裏揩汗；

一邊喘，一邊把外甥細看——

「値得！値得！我有喜信帶來，

那怕我的四肢走得發顫！

這五年來，自從你娘臨終，

到你長大成人，進了學宮，

我作娘舅的再不曾忘記

把你的兩樁事掛在當胸：

第一，你的親事；其次應舉。

我們都窮呀，誰肯拿閨女
嫁進這種人家？沒有盤纏，
上省城去考試也是虛語……
哎喲，我的腿！不如先進房
坐下了，我再來說個端詳……
你聽，水都開了，快些下米——」
說着，老者將身坐在版牀，
慢慢揉着左邊的腿；開言：
要不我就差午子來這邊
告訴你；舅媽，就是這樣講，
何必曬着太陽去到壩前？
不過是這囘的消息眞好，

既有老婆，又能上省應考；
美中不足，只有一個地方——
這讓你的表哥，笨頭笨腦，
來同你講，那裏講得清暢？
將成的事，萬一被他弄僵，
豈不罪過？因此，我趁中午，
你閑的時候，來仔細商量。
不曾說話，我要先問一聲：
比仿說是有人住在縣城，
沒有偷過別人，沒有騙過，
到老年攢了二千兩紋銀；
就是出身低點，這個人家，

據你看來，我們是該敬他，
還是該鄙？」「自然是敬他了。
作一生的屠戶，有姜子牙
在八十歲時候遇到文王，
幫着父親兒子討滅暴商。
樊屠戶吞彘肩救了高祖；
他封王食戶，有後嗣興昌。
范蠡他作過鹽行的生意——」
「遲子；你說古扳今到老例，
很好。屠戶鹽販子，這大家
不看輕；團頭，那却都厭棄。」—
「團頭？叫化子王？那是不行！

你老人家自然一片好心，
想幫外甥子尋出路；不過，
團頭這門戶那裏好對親？」
「遲子，遲子，我來細說根由。
我娘舅多活過幾十春秋，
有些事情，少年不曾見過，
我已經見過了；就說團頭——
我娘舅誠然是文墨不通；
就說你剛才提到姜太公，
你講他是屠戶，然而大衆，
連我也一向講他是漁翁；
我娘舅胸中無墨汁；單靠

平日眼睛看見耳朵聽到
一切的事爲憑——就說團頭，
我們對他實在不能鄙笑……
啊，晴飯香了！我已經吃完
早晨一頓爛飯。就是口乾；
你可以在爐上沏點開水，
我喝口茶：好來與你詳談。」

團頭里邊自然也多敗類——
國君就分兩種，夏桀殷湯。
伍子胥在吳國市上吹簫，
征東的薛仁貴住過破窰，

（文章月報）

還有鄭元和他唱蓮花落；
卑田院裏何嘗沒得英豪，
莫稽放下飯碗，垂着腦袋——
他恍然看出了，書本以外
見識多呢：孟子郎曾有言，
盡信書不如無書到痛快。
他抬頭觀看才讀的那書，
有兩個經師在里面紛呶，
一個說是天字，一個說大——
他們消磨去大半世工夫，
這便是他們的天大之功。
兩個到罷了，將文義講通

也是好事情，但如何舉世
都掀動起重文輕實之風。
他自己就整日埋頭書卷，
周身的事物向不曾細看——
若非舅舅今天石破天驚，
叫他不要看清卑田丐院，
他眞要變成功那個蒼蠅
只知在窗紙上嗡嗡亂鳴，
不能轉雙翼由大門飛出——
他眞要在行間字里埋身。
他決不能看輕乞丐：有貴
有賞，他們只知竊食偷位，

—66—

不曾出這力量報效家邦，
他們比乞丐還可羞可愧，——
固然一般是腹內的蛔虫，
寄食於家國，他們却尊崇
飽暖，受人誇獎，惟有乞丐
冬天披雪絮乾喝西北風。
還要遭鄙薄。他瞧着面前
放的菜飯：剛才他正厭嫌
菜冷，水下得多飯煮爛了，
如今回起味來倍覺甘鮮。
能作事的人誰肯受折磨
不去作事。乞丐當中儘多

想丟了飯鉢拏鋤頭鋸子——
丟牠不掉也是無可如何。
他何不到團頭家里結親，
勸老丈拏出一千兩紋銀
買田，給手下的花子去種——
他自己也陪伴着把田耕：
手握滑膩如綠綢的新秧
插進軟泥，完工時坐壩旁
樹蔭中，讓涼風吹乾泓水，
聽鳥的啼聲在天外悠揚，
從泥罐里倒出大碗涼茶
喝着，藍中取出冷飯，鍋巴，

鹽菜，豆腐乾來吃，聽同伙
講米糧的行市，種菜，生瓜——
吃完之後，倒頭臥在坡上，
把酸，累睡去。下午也同樣
栽秧。等到紅日啥住山頭，
他就囘家去同妻子岳丈
吃晚飯：這時候放在桌中，
有剛出鍋的飯，熱氣蓬蓬；
豆腐，像女人的舌頭，又熱
又軟，黃帶綠是雞蛋炒葱——
想到此，他不覺喜動眉頭——
「舅舅，我情願結這親，只愁

有一件事他們不能答應：
我要從此不在書案停留，
我要作農夫耕田並且覯」——
老人把書生的話頭打斷，
「要你全家正是為的讀書——
，不然赤窮一個光身大漢，
他們在街上也尋得出來。
那個女兒又是美貌裙釵，
拜這先生，聽說還能寫信。
她的父親一點也不痴呆，
要是想嫁種田的，怕如今
她早已生了小種田的。哼——

書呆子真是一個書呆子。
她所以二十還不曾嫁人，
是等的呀。你今年二十三，
不也是等的嗎。舉人不難
中，到要錢上都城呀。她等
官人夫婿，你便是等盤纏。
聽見這番話，「莫稽不知道
要怎樣才好：是哭還是笑。
書里不能看出國利民瘼，
他剛才正想把它們扔掉，
那曉得全家還是要書生，
要作官的女婿，不成，不成，——！

這四個字他高了聲講出，
他向鼠舅詳細說了原因——
「哦，原來如此。你這番好意
很可敬。恰才我所以生氣，
是以爲你在書獃子發瘋，
好了唸着書，忽然要耕地，
豈不埋沒了十年的苦功。
自然當今的皇帝也重農，
不過農部上書才對得住
你，同父母一番教養心衷。
倘如你不讀書，第一學金，
你恃以爲生的，卽須讓人。

我告訴你良田各人都有，
不僅農夫的列秧綫縱橫——
瓦匠在祠堂里舖設方磚，
一柱柱珠子的那是算盤，
你們學里人有芸窗課本，
紅格子紙張上密點濃圈。
四種人都要緊。揀到自家
性情最相宜的就去作他。
好農夫自然是强似惡吏，
好官比好農夫也不相差。
誠然不可個個都有官癮——
不過好人萬一通同不肯

去作官，那時候百姓良民
就要人心惶惶不能安枕。
我們要扔去了一切頭銜
來就人論人；不可聽到官，
就說這人好，或者說他壞——
評論乞丐時候也是一般。
你說不情願作一條蠢魚
儘活在土里，不知有鯨魚
牠那頭與你的這間茅屋
一般高大，你說要作鯉魚
跳過龍門，去那大海當中
看深青的波浪連到蒼穹，

你要與那秋雲去爭先後，
展開鱗甲受此眞雨眞風——
我的來意正是如此。今天
一清早李媒婆到我那邊，
說是金家親事已經辦妥，
如今只等新郎一句回言——
因爲一個月前交租上縣，
我無心在聚寶茶園里面
聽到這金家招婿，高不成，
低不就，我當時另泡香片，
請他們過來說淸楚根由——
聽完了，我連忙會過茶籌，

回家去。路上我哈哈大笑，
笑掉三年來爲你的憂愁。
我叫李媒婆去金家說親——
因爲不願事情尙未講成
來先問你，所以直到今日
確實囘信有了，我才親身
到這裏來講，這金家允許
女兒玉奴招贅之後供與
你膏火盤纏去考試舉人
進士。如此你旣能娶美女，
又能封官，替百姓作青天——
那時你儘可以分撥公田

給花子種，再作包公斷案，
下堂以後學他私訪民間。」——
如此我在學中作點文章，
月考，年考，不過無事生忙：
活像是烏龜肉，黏在殼上，
要伸頸子也伸不出多長。
如今這個機緣到了當中，
還不扭開枷鎖，打破囚籠，
去到人世里作一番事業，
把五年的悶氣噓進長風。
他囘憶起，學友常開玩笑，
說他再等五年就能得道，

因爲情根斬了。他們閑談，
某家學友常去院中胡鬧，
一回月考，出的「關關雎鳩」
這個詩題，他還酒氣滿頭，
如何作得出詩來，他情急
智生，便鈔了懷想杜芳洲
舊作的七律四篇去交卷——
老師批點出來，大加稱讚，
說是「聲調鏗鏘，如聽鶯鳴」——
他看見時，腸子幾乎笑斷，
別個還以爲他這樣歡欣
是因爲得到了濃圈好評，

後來他發酒瘋，說起前事，
大家才知道了就里眞情。
他們又評論同學的妻房
好醜，肥瘦。誰家喜酒排場。
鬧新房的時候，誰家窘急，
誰家態度安閑，應對大方。
他想，這囘自己入贅金家，
同學聽到豈不都要鄙他。
一陣發燒立時衝到臉上——
「此事還得」四字已在齒牙，
又吞了囘去：他想起剛才，
自家也鄙視團頭，舅舅來

說出一番道理，他才明白
這是俗人之見，大大不該——
想到此，他反覺胸生惱怒，
惱他自己羞愧毫無原故，
怒同學讀過書還是俗人——
俗人說什末他儘可不顧，
一舅舅，你老人家雖說不會
讀過詩書比起許多翰林
進士來見識却高過十倍——
我情願到金家招贅爲婿。」
一李媒婆向我剛才商議好：
你答應時我就明天清早

— 80 —

縣城里去金家，相他女兒，
後天你到我家，等候金老，
也讓他相一相外貌如何——
我猜學裏他已問過許多
管事人員，知道你有才學，
只爲家貧所以五載蹉跎。
這許多年我爲你的親事
不知枉操過多少心，這次
總算成功了：我就是明天
死去，到陰間會見了老四
同你的爹爹，也儘可問心
無愧他們斷氣時的叮嚀，

不幸負你還在搖籃里面
就能『夠夠夠夠』叫得眞親。」
說着，他拏拐杖撐起身軀——
「我囘去了。你這碗裏還餘
許多冷飯，用茶泡了吃罷。……
我歇過氣來了，那到無須，」

已經過了夜半，莫稽醒囘——
燈檠的精光透射進床帷，
照見他的妻子睡在床里，
右邊一撮髮絲半遮曲眉，
她的臉上如今無怒無喜，

像泥人一樣：他不覺想起
過年時候孩童玩的彩圖，
當中那些美人與她相比，
眞是一模一樣：他同玉奴
雖說成了婚一月，他却無
機會看見她睡時的神態，
今夜聽到妻子輕輕打呼，
還是初次：一邊他覺奇怪，
一邊他又好笑，因爲現在
他眼前的玉奴比起日間，
相差之遠眞像天涯海外。
在這將封起的眼皮下邊，

那眼珠如今是看見明天，
以往，要不就剛才她太累，
如今一無所見，只知睡眠。
不然，不然：今天那場筵宴，
她也跟着一家大丟臉面——
如今她在夢中多半重新
把日間的羞辱又過一遍……
想到這里他打一個轉身，
他覺得自家的羞辱之心
與惱怒之心也騰起胸內——
他扭一扭肩膀，……這是別人
作的事，何必要他去羞愧。

— 84 —

叫化子今天開滿月宴會.
幷不是他領來的，是金家
叔叔氣那天婚席的坐位
排低了，這回又不會請他
到慶滿月的筵席來，便拏
叔岳丈的身份出來大掃
老頭子的臉：說我們不差
一滴滴，你當過團頭，到老，
死：也還是叫化子的頭腦，
不爲看輕別人，你比我多
幾個臭錢，並非就比我好。
一個月前吃喜酒我因何

不爭呢，頭一層，這位大哥
很和氣，我不忍心第一晚
替他掀起不吉利的風波，
第二層，你當年讓我承管
叫化子——雖然你貪心未滿，
要從例錢里面抽豐兩成，
一文不鬆，一刻不容稍緩，
追着要。天生我是叔丈人，
你們再逃也逃不去此名——
到此他狠狠盯莫稽一下，
接着說了些話不分清濁，——
莫稽實無此意，他想回話，

又吞了轉去，因爲他生怕
說出實情時候會教金翁
當着衆人又受一番笑罵。
不比鄉下，這是縣城當中。
人多，他們看見鬧鬨烘烘
一羣乞丐，便也跟着來到
金家門口，擠得車馬不通——
他們里面有些是瞧熱鬧，
瞧到高興時便哈哈大笑，
有些平日眼淺金家排場，
如今幸災樂禍，只聞譏誚，——
這時乞丐中有一人上堂，

手里拏着凾子說是山羊，
又白又肥，可以敬賓下酒；
聽到這里，如同丑角登場，
門口大笑起來，連他學友
都像忍不住了，忙去掩口……
他的丈人羞得臉上通紅，
睜大一雙眼睛，抬起右手，
要去打化子，被老弟當鋒
隔住。他們兄弟便在堂中
打起架來：他見同學不動，
只在一旁觀望，他怕岳翁
受傷，忙上去解圍，那中用——……

幸虧有老成的人從看衆
里邊走上前把兩個分開，
說些好話平了這場爭訟，
化子打發出門，酒席重排，
他們陪着，一同飲酒開懷——
他自己是滴酒不能下肚，
心里翻着，嘔又嘔不出來。
事情都過去了，何必再苦
苦去追想……不然，這次粗魯
一開端，將來別的更可羞，
更可氣，他看着無從攔阻，
會跟了來。不過今天大丟

臉面他攔住了嗎……他把頭
在枕上翻過，又瞧着帳外
那燈光，瞧它像一滴桐油
儘懸在空中：他有點奇怪：
這是因爲當初不比現在，
當初一上床就吹熄了燈，
偶然半夜醒來，模糊一塊
眼中都是漆黑……

八百羅漢（未完稿）

善男信女不再磕頭燒香，
都學時髦進了天主敎堂。
素鷄素鵝不見供上神案，
這可慌了八百肥胖羅漢。
他們平日只知坐享乾薪，
一切苦差皆讓土地担承。
高興之時聽聽鐵響堂下，
富求子嗣貧求財寶入卦；
囘家以後他們或買彩票，

或買窰子——終於再來佛廟。
那知清福享了三四千年，
養得肚臍如有胎在中間，
却被西天來了無父之子；
趕去羔羊不留一條在此。
凡人辟穀雖可得道入聖，
神仙辟穀那就不堪過問！
他們想用武，但庚子之亂，
告訴他們神符不能應戰。
鎗礮只有上天去求玉皇，
差使者去耶和華處婉商。
尊重神權莫作宗教侵略，

隨了商僧軍士來此爲虐。
攻異端時大家義憤塡膺，
問到誰上天呢却無人聲。
不說天上道路危險極多，
天狗天狼以及洶湧銀河。
萬一遭遇飛機不能脫逃，
或被高射礮彈擊落雲霄，
豈不負了上天好生之德？
所以八百面上皆有難色！
還是四眼羅漢最後開言，
四金剛內一位手執鋼鞭，
同了布袋和尚他們兩個，

一文一武不怕强暴饑餓。
滿可將這事件奏上天庭，
大家聞言都誇見地高明。
金剛聞言大喜，他舉鋼鞭，
試試他的武藝可像從前。
不料吱唷一聲，是他的同伴，
肩頭中了鋼鞭，痛得高喚。
金剛趕快收鞭陪罪不迭，
道是驟聞消息，心中大悅。
廟中聽了十年晨鐘暮鼓，
鋼鞭無處能用悶得眞苦。
如今重去宇宙之內翱翔，

到金樓銀殿去膜拜天皇。
看舊日的弟兄教場跑馬，
托塔天王紅孩兒與哪吒。
齊天大聖吹毫毛變化身，
豬八戒搖耳朵，晦氣沙僧，
這回重去西天路途之上，
定有男妖女怪深洞黑浪；
那時我的鋼鞭便將立功。
說得高興，舉鞭又舞空中！
布袋和尚眼快，連忙退後，
說道還好，這次頭顱得救。

（未發表）

新詩庫第一集第六種
永言集
民國二十五年四月初版
每冊實價四角
朱湘著
上海四馬路
上海時代圖書公司發行
中市三百號